A1 A2.1

Lucile Charliac
Jean-Thierry Le Bougnec
Bernard Loreil
Annie-Claude Motron

PHONÉTIQUE PROGRESSIVE DU FRANÇAIS

CORRIGÉS

www.cle-inter.com

Directrice de production éditoriale : Béatrice Rego
Édition : Isabelle Walther
Mise en pages : Alinéa / AGD
Imprimé en France en janvier 2020
par l'Imprimerie Maury S.A.S. à Millau (12)
N° d'impression : A20/59695N – N° de projet : 10262660
Dépôt légal : mars 2018

ISBN : 978-209-038456-7

PREMIÈRE PARTIE

1 Et les gants ? – Élégant !

Exercices p. 8-9

1

1. **A :** Qu'est-ce que c'est ?
2. **B :** Qu'est-ce que c'est qu~~e~~ ça ?
3. **A :** C'est mon livre.
4. **B :** C'est ton nouveau livre ?
5. **A :** C'est mon dictionnaire
6. **B :** C'est ton cahier ?
7. **A :** C'est ton exercice ?
8. **B :** C'est très facile !

2 Un café crème... et un verre d'eau, s'il vous plaît !

Exercices p. 10-11

1

1. Ton frère vient dîner à la maison avec une amie. 4 groupes rythmiques.
2. Mais ton père est en voyage à Marseille. 3 groupes rythmiques.
3. Ma chérie, s'il te plaît, viens mercredi ! » 3 groupes rythmiques.

3 Au secours ! Arrêtez ! Arrêtez tout !

Exercices p. 12-13

1

06 (zéro six)...
12 (douze)...
17 (dix-sept)...
63 (soixante-trois)...
16 (seize).
Je répète : 06-12-17-63-16.

4 Elle est colombienne ?

Exercices p. 14-15

1

Ma | pho | to !

C'est | ma | pho | to !

Mais | c'est | ma | pho | to !

C'est | ma | pho | to ! | à | moi

À vous !

1. En mai, du 2 mai au 22 mai. (*deux / vingt-deux*)

2. En août, du 17 au 31. (*dix-sept / trente et un*)

3. En janvier, du 14 au 20 janvier. (*quatorze / vingt*)

4. En février, à partir du 16 et jusqu'au 21. (*seize / vingt et un*)

5 Un chocolat chaud… et une bière bien fraîche !

Exercices p. 16-17

1

	ma ma ma maa	*ma ma ma ma maa*
Exemple : Tu n'as pas faim ?	✗	
Elle part très tôt.	✗	…
Un pe̸tit déjeuner ?	…	✗
Un café serré.	…	✗
Un gros croissant.	✗	…

À vous !

1. Plusieurs fois. – **2.** Plusieurs personnes. – **3.** Plusieurs Polonais. – **4.** Plusieurs présentateurs. – **5.** Plusieurs nationalités.

6 Martin … là ! Lucas … ici !

Exercices p. 18-19

1

1. 6 fois 6 ? 36 (*trente-six*)
2. 6 fois 7 ? 42 (*quarante-deux*)
3. 9 fois 8 ? 72 (*soixante-douze*)
4. 9 fois 9 ? 81 (*quatre-vingt-un*)
5. 9 fois 10 ? 90 (*quatre-vingt-dix*)

7 – Pardon madame ! – Je vous en prie.

Exercices p. 20-21

1

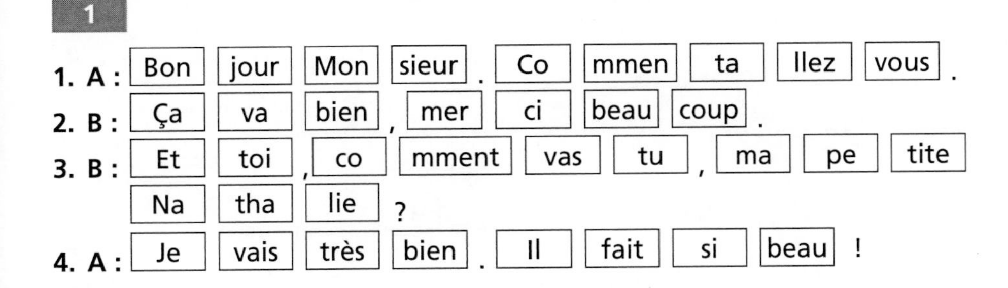
1. A : Bon jour Mon sieur . Co mmen ta llez vous .
2. B : Ça va bien , mer ci beau coup .
3. B : Et toi , co mment vas tu , ma pe tite
Na tha lie ?
4. A : Je vais très bien . Il fait si beau !

8 Ça va ? On commence ?

Exercices p. 22-23

1

	=	≠
Exemple : *(Ça va ? Ça va ?)*	✗	
1 (*On peut commencer ? On peut commencer ?)*	✗	
2 (*Ça va ? Ça va.)*		✗
3 *(Il faut du lait ? Il faut du lait ?)*	✗	
4 *(Du chocolat ? Du chocolat ?)*	✗	
5 *(C'est bon. C'est bon ?)*		✗
6 *(C'est chaud. C'est chaud ?)*		✗
7 (*C'est prêt ? C'est prêt.)*		✗
8 *(Vous avez compris ? Vous avez compris.)*		✗
9 *(À vous. À vous ?)*		✗

4 **1.** Elle fait un stage ? – **2.** Elle connaît le chef ? – **3.** Il est célibataire ? – **4.** Ils se voient souvent ? – **5.** C'est sa fiancée ?

9 Ça va. On y va.

Exercices p. 24-25

1

	↗	↘
Exemple : *On y va ?*	✗	
1. C'est l'heure.		✗
2. Non.		✗
3. Ça va ?	✗	
4. Ça va bien.		✗
5. Il est Sénégalais.		✗
6. Il habite à Dakar ?	✗	
7. Il habite à Paris.		✗
8. D'accord.		✗
9. C'est un bon restaurant ?	✗	

À vous ! **1.** Non. – **2.** C'est bon. – **3.** C'est là-bas. – **4.** C'est* pas fini. – **5.** Il a commencé. – **6.** Il ne veut pas parler.

10 J'aime le rock, le rap, le reggae.

Exercices p. 26-27

1 1-c ; 2-d ; 3-f ; 4-b ; 5-e ; 6-a.

À vous ! **1.** Il faut du chocolat, du sucre, des œufs et du beurre.
2. Il faut de l'eau, des carottes, un potiron et du sel.

11 À 14 (quatorze) heures, il faut partir.

Exercices p. 28 - 29

1

1. Une semaine au Mexique. **2.** Au Mexique, une semaine.

3. On va partir lundi prochain.

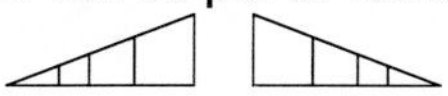

4. Lundi prochain, on va partir.

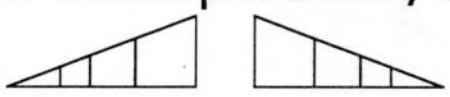

5. Pendant une semaine, on va voyager.

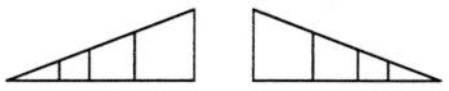

6. On va voyager pendant une semaine.

7. On va rentrer le 21 (*vingt-et-un*).

8. Le 21 (*vingt-et-un*), on va rentrer.

9. C'est trop court, les vacances.

10. Les vacances, c'est trop court.

5

Le 14 (*quatorze*) mai

Chère Kathryn,

Je te remercie pour ta réponse à mon annonce sur Internet.

Depuis longtemps, je recherche une correspondante comme toi.

Tu m'écris en all~~e~~mand et je te réponds en français, d'accord ?

12 Marié~~e~~, ou célibatair~~e~~ ?

Exercices p. 30-31

1

			Nombre de syllabes ?
Exemple	courage	courageux	2
1	heure	euro	2
2	heure	heureux	1
3	nuage	nuageux	2
4	neuve	neveu	1
5	fatigue	fatigué	2
6	arrête	arrêter	2
7	mètre	métro	1
8	porte	porté	2
9	fête	fêter	2

À vous ! **1.** Elle : mariée. – **2.** Elle : employée. – **3.** Elle : invitée. – **4.** Elle : fatiguée. – **5.** Elle : désolée.

13 Vous parlez japonais ?

Exercices p. 32-33

1

	Ne finit pas par une consonne **prononcée** (masculin)	Finit par une consonne **prononcée** (féminin)
Exemple	anglais	anglaise
1	étudiant	étudiante
2	étranger	étrangère
3	amoureux	amoureuse
4	allemand	allemande
5	dernier	dernière
6	brésilien	brésilienne
7	mexicain	mexicaine
8	coréen	coréenne
9	chinois	chinoise

4 **1.** Oui, je viens ! – **2.** Oui, je bois ! – **3.** Oui, je veux ! – **4.** Oui, je finis ! – **5.** Oui, je peux venir !

À vous ! **1.** Vous parlez japonais ? – **2.** Vous parlez français ? – **3.** Vous parlez coréen ? – **4.** Vous parlez anglais ? – **5.** Vous parlez allemand ? – **6.** Vous parlez italien ? – **7.** Vous parlez anglais ?

14 J'aime l'été, je n'aime pas l'hiver !

Exercices p. 34-35

1 Exemple : j'adore ; **1.** je déteste ; **2.** la mer ; **3.** l'addition ; **4.** l'hôtel ; **5.** pas d'amis ; **6.** pas de copains ; **7.** les amis ; **8.** elle n'est pas là. ; **9.** c'est fini !

3 **1.** Les Anglais ? L'anglais. – **2.** les Allemands ? L'allemand. – **3.** les Espagnols ? L'espagnol. – **4.** les Italiens ? L'italien. – **5.** les Albanais ? L'albanais.

4 **1.** Non, je n'ai pas d'amis. – **2.** Non, je n'ai pas d'enfants. – **3.** Non, je n'ai pas d'idées. – **4.** Non, je n'ai pas d'euros. – **5.** Non, je n'ai pas d'histoires.

À vous ! **1.** Oui, oui, j'arrive ! – **2.** Oui, oui, j'appelle ! – **3.** Oui, oui, j'écris ! – **4.** Oui, oui, j'écoute ! – **5.** Oui, oui, j'hésite !

Sam~~e~~di ? pas d~~e~~ problème !

Exercices p. 36-37

1

	2 syllabes	3 syllabes	4 syllabes	5 syllabes
Exemple : *Tu r~~e~~viens quand ?*		✗		
1. Dans deux s~~e~~maines.		✗		
2. Au r~~e~~voir !	✗			
3. Un p~~e~~tit café ?			✗	
4. Tu n~~e~~ veux pas c~~e~~ café ?				✗
5. Tu n~~e~~ bois pas ?		✗		
6. Il s'est cassé l~~e~~ bras !				✗
7. Il n'a pas d~~e~~ chance !			✗	

5 **1.** Non, je n~~e~~ peux pas ! – **2.** Non, je n~~e~~ veux pas ! – **3.** Non, je n~~e~~ dors pas ! – **4.** Non, je n~~e~~ bois pas ! – **5.** Non, je n~~e~~ comprends pas !

À vous ! **1.** Oui, Passe-moi l~~e~~ sel, s'il te plaît ! – **2.** Oui, Passe-moi l~~e~~ pain, s'il te plaît ! – **3.** Oui, Passe-moi l~~e~~ plat, s'il te plaît ! – **4.** Oui, Passe-moi l~~e~~ vin, s'il te plaît ! – **5.** Oui, Passe-moi l~~e~~ fromag~~e~~, s'il te plaît !

16 I‿l habi‿t~~e~~ à Paris ! E‿ll~~e~~ habi‿t~~e~~ à Paris !

Exercices p. 38-39

1

	« lil »	« dil »	« til »	« nil »
Exemple : *U‿ne île.*				✗
1. Ce‿tte île.			✗	
2. Une be‿lle île.	✗			
3. Une peti‿te île.			✗	
4. Une gran‿de île.		✗		
5. Une nouve‿lle île.	✗			

4 **1.** Que‿ll~~e~~ est ta nationalité ? – **2.** Que‿l est ton âge ? – **3.** Que‿ll~~e~~ est ta profession ? – **4.** Que‿ll~~e~~ est ton adresse ? – **5.** Que‿l est ton numéro de téléphone ?

5 **1.** E‿lle/ a tren‿te/ ans ! – **2.** E‿lle/ a soixan‿te/ ans ! – **3.** E‿lle/ a trei‿ze/ ans ! – **4.** E‿ll~~e~~ a qua‿tr~~e~~ ans !

À vous ! **1.** Elle habite à Marseille ? – **2.** Elle habite à Toulouse ? – **3.** Elle habite à Bordeaux ? – **4.** Elle habite à Nice ? – **5.** Elle habite à Lyon ?

17 Tu es à Tahiti !

Exercices p. 40-41

1

	2 syllabes	3 syllabes	4 syllabes	5 syllabes	6 syllabes
Exemple : *Ohé*	✗				
1. Ça arrive !		✗			
2. J'ai une idée.			✗		
3. J'ai eu une idée.				✗	
4. J'ai été à Paris.					✗
5. J'en veux.	✗				
6. Jean en veut.		✗			

4 **1.** J'ai une amie espagnole. – **2.** J'ai une amie américaine. – **3.** J'ai une amie allemande. – **4.** J'ai une amie indienne. – **5.** J'ai une amie angolaise. – **6.** J'ai une amie italienne.

À vous ! **1.** D'accord/, rendez/-vous/ ici. – **2.** D'accord/, rendez/-vous/ au café. – **3.** D'accord, rendez-vous au cinéma. – **4.** D'accord, rendez-vous à la cafétéria. – **5.** D'accord, rendez-vous au restaurant.

18 Ils ont un enfant !

Exercices p. 42-43

1

	[zami]	[nami]	[tami]
Exemple : *Des amis.*	✗		
1. nos amis.	✗		
2. Les amis.	✗		
3. Petit ami.			✗
4. Deux amis.	✗		
5. Trois amis.	✗		
6. Vingt amis.			✗
7. Un ami.		✗	
8. Un grand ami.			✗

5 **1.** Des avions. – **2.** Vingt avions. – **3.** Un avion. – **4.** Un petit avion. – **5.** Le dernier avion. – **6.** Mon avion.

À vous ! **1.** La Franl ce est‿en‿Europe. – **2.** La Chil ne est‿en‿Asie. – **3.** Le Chili⁀est‿en‿Amérique. – **4.** L'Australie⁀est‿en‿Océanie. – **5.** Le Sénégal l est‿en‿Afrique.

DEUXIÈME PARTIE

19 Un livre sur la peinture.

Exercices p. 46-47

1

	Exemple	1	2	3	4	5
=			✗			✗
≠	✗	✗		✗	✗	

Exemple : il lit / il lut
1. les piles / les pulls – **2.** le jus / le jus – **3.** un bis / un bus – **4.** l'ami / la mue / le nu / le nu

2

	Exemple	1	2	3	4	5
/i/ six				✗		✗
/y/ lune	✗	✗	✗		✗	

Exemple : c'est dur
1. les pulls – **2.** un bus – **3.** l'ami – **4.** des jus – **5.** c'est pire

À vous ! **1.** Pas dix pages, une. – **2.** Pas dix lignes, une. – **3.** Pas dix lettres, une. – **4.** Pas dix minutes, une.

20 Il a de la confiture sur la bouche.

Exercices p. 48-49

1

	Exemple	1	2	3	4	5
=			✗	✗		
≠	✗	✗			✗	✗

Exemple : il s'est tu / il sait tout
1. des sous / déçu – **2.** c'est vous / c'est vous – **3.** début / début – **4.** dessus / dessous – **5.** au-dessus / au-dessous

2

	Exemple	1	2	3	4	5
/y/ lune	✗		✗	✗		
/u/ douze		✗			✗	✗

Exemple : Elle est russe
1. dis tout ! – **2.** c'est sûr – **3.** la rue – **4.** c'est vous – **5.** change tout !

6 **1.** À nous ? Tu nous téléphones ? **2.** À nous ? Tu nous parles ? **3.** À nous ? Tu nous écris ? **4.** À nous ? Tu nous expliques ?

À vous ! **1.** Le russe ? Beaucoup. – **2.** Le turc ? Beaucoup. – **3.** Le portugais ? Beaucoup. – **4.** Le suédois ? Beaucoup.

21 Il est ridicule, ce monsieur !

Exercices p. 50-51

1

	Exemple	1	2	3	4	5
=		✗		✗		
≠	✗		✗		✗	✗

Exemple : un jus / un jeu
1. un nœud / un nœud – **2.** le feu / le fût – **3.** c'est sûr / c'est sûr – **4.** l'aveu / la vue – **5.** C'est crû / c'est creux

2

	Exemple	1	2	3	4	5
/y/ lune			✗			✗
/œ/ deux	✗	✗		✗	✗	

Exemple : un nœud
1. il peut – **2.** un fût – **3.** ses sœurs – **4.** l'aveu – **5.** c'est crû

5 **1.** À quelle heure tu peux, mercredi ? – **2.** À quelle heure tu peux, vendredi ? – **3.** À quelle heure tu peux, mardi ? – **4.** À quelle heure tu peux, jeudi ?

6 **1.** Une pomme, pas deux. – **2.** Une poire, pas deux. – **3.** Une pêche, pas deux. – **4.** Une prune, pas deux.

À vous ! **1.** Luc ? Deux, bien sûr ! – **2.** Jules ? Deux, bien sûr ! – **3.** Auguste ? Deux, bien sûr ! – **4.** Marius ? Deux, bien sûr !

22 Il est turc, sa femme est suisse.

Exercices p. 52-53

	Exemple	1	2	3	4	5
=				✗		✗
≠	✗	✗	✗		✗	

Exemple : les nus / les nuits
1. c'est lui / c'est lu – **2.** je l'ai su / je les suis – **3.** les nus / les nus – **4.** il a pu / il appuie – **5.** la nuit / la nuit

2

	1 syllabes	2 syllabes	3 syllabes
Exemple		✗	
1	✗		
2			✗
3		✗	
4		✗	
5	✗		

Exemple : c'est lui
1. lui – **2.** il s'enfuit – **3.** la nuit – **4.** des fruits – **5.** Fuis !

6 **1.** Non, tu les fais tout de suite ! – **2.** Non, tu les laves tout de suite ! – **3.** Non, tu les sors tout de suite ! – **4.** Non, tu les sers tout de suite ! – **5.** Non, tu les coupes tout de suite !

À vous ! **1.** Lui, il n'en a qu'une ! – **2.** Lui, il n'en avait qu'une ! – **3.** Lui, il n'en aura qu'une !

23 Une fille ou un garçon ?

Exercices p. 54-55

1

Exemple	*Un concierge*	*Une concierge*
1	Un journaliste	Une journaliste
2	Un libraire	Une libraire
3	Un dentiste	Une dentiste
4	Un élève	Une élève
5	Un ami	Une amie
6	C'est un violoniste	C'est une violoniste
7	C'est un géographe	C'est une géographe
8	C'est un pianiste	C'est une pianiste
9	C'est un archéologue	C'est une archéologue
10	C'est un artiste	C'est une artiste

3 **1.** Un café, un ! – **2.** Un coca, un ! – **3.** Une bière, une ! – **4.** Une vodka, une !

4 **1.** En voilà un ! – **2.** En voilà une ! – **3.** En voilà une ! – **4.** En voilà un ! – **5.** En voilà une ! – **6.** En voilà un !

À vous ! **1.** Un seul ? – **2.** Une seule ? – **3.** Un seul ? – **4.** Une seule ? – **5.** Une seule ?

24 Un Japonais et une Suédoise.

Exercices p. 56-57

1

Exemple	*des Japonais*	*des Japonaises*
1	des Suédois	des Suédoises
2	des Danois	des Danoises
3	des Français	des Françaises
4	des Polonais	des Polonaises
5	des Libanais	des Libanaises

2

	Exemple	1	2	3	4	5
J'entends /z/				✗		✗
Je n'entends pas /z/	✗	✗	✗		✗	

Exemple : Une page
1. Une pause – **2.** Attentive – **3.** Curieuse – **4.** Marche – **5.** Serge

5 **1.** Elle aussi, elle est bien sérieuse ! – **2.** Elle aussi, elle est bien joyeuse ! – **3.** Elle aussi, elle est bien silencieuse ! – **4.** Elle aussi, elle est bien paresseuse !

À vous ! **1.** Je crois. Elle a l'accent portugais ! – **2.** Je crois. Elle a l'accent suédois ! – **3.** Je crois. Elle a l'accent japonais ! – **4.** Je crois. Elle a l'accent chinois !

25 Deux sœurs, Lisa et Louise.

Exercices p. 58-59

	Exemple	1	2	3	4	5
=		✗				✗
≠	✗		✗	✗	✗	

Exemple : le poisson / le poison
1. un désert / un désert – **2.** leurs poisons / leurs poissons – **3.** les cieux / les yeux – **4.** lésé / laissé – **5.** c'est cassé / c'est cassé

2

	Exemple	1	2	3	4	5
/s/ ils sont			✗	✗		
/z/ ils ont	✗	✗			✗	✗

Exemple : Ils ont froid
1. ils ont chaud – **2.** ils sont froids – **3.** ils sont fermés – **4.** ils ont cassé – **5.** ils ont ouvert

À vous ! **1.** Ils sont bien quinze ? – **2.** Ils sont bien douze ? – **3.** Ils sont bien quatorze ? – **4.** Ils sont bien seize ?

26 Elle visite le Japon.

Exercices p. 60-61

1

	Exemple	1	2	3	4	5
=		✗	✗			
≠	✗			✗	✗	✗

Exemple : son geste / son zeste
1. les jaunes / les jaunes – **2.** zut ! / zut ! – **3.** quel zèle / quel gel ! – **4.** les jaunes / les zones – **5.** un zeste / un geste

2

	Exemple	1	2	3	4	5
/z/ zéro	✗	✗	✗			
/ʒ/ jardin				✗	✗	✗

Exemple : leur zèle
1. des zones – **2.** un zeste – **3.** les jaunes – **4.** quel gel ! – **5.** c'est gagé

6 **1.** Je les ai vus. – **2.** Je les ai rencontrés. – **3.** Je les ai invités. – **4.** Je les ai reçus.

À vous ! **1.** Pardon, vous avez dit « G » ? – **2.** Pardon, vous avez dit « J » ? – **3.** Pardon, vous avez dit « Z » ?

27 Appelle-les ! Fais-le !

Exercices p. 62-63

1

	Exemple	1	2	3	4	5
=		✗		✗		
≠	✗		✗		✗	✗

Exemple : fais-le ! / fais-les !
1. pose-le ! / pose-le ! – **2.** dis-les ! / dis-le ! – **3.** prends-les / prends-les ! – **4.** suis-le ! / suis-les ! – **5.** laisse-les- ! / laisse-le !

2

Exemple	*Le livre*	*Les livres*
1	Le stylo	Les stylos
2	Le crayon	Les crayons
3	Le cahier	Les cahiers
4	Le dossier	Les dossiers
5	Le classeur	Les classeurs

Exemple : les livres
1. les stylos – **2.** le crayon – **3.** les cahiers – **4.** le dossier – **5.** le classeur

6 **1.** Pas ce livre ! Ces livres ! – **2.** Pas ce devoir ! Ces devoirs ! – **3.** Pas ce dossier ! Ces dossiers ! – **4.** Pas ce poème ! Ces poèmes !

À vous ! **1.** Achète-les ! – **2.** Achète-le ! – **3.** Achète-le ! – **4.** Achète-le ! – **5.** Achète-les !

28 Il v<u>eu</u>t du th<u>é</u> – Elles v<u>eu</u>lent une bi<u>è</u>re.

Exercices p. 64-65

1

	Exemple	1	2	3	4	5
=		✗			✗	
≠	✗		✗	✗		✗

Exemple : un nœud / un nez
1. il a peur / il a peur – **2.** quel bonheur ! / quel bon air ! – **3.** des feux / des fées – **4.** j'y vais / j'y vais – **5.** tu peux / tu paies

2

	Exemple	1	2	3	4	5
/Œ/ deux	✗				✗	✗
/E/ pied		✗	✗	✗		

Exemple : une heure
1. un air – **2.** son dé – **3.** votre père – **4.** trois feux – **5.** il peut

6 **1.** Il est sept heures. – **2.** Il est sept heures sept. – **3.** Il est neuf heures deux. – **4.** Il est neuf heures neuf. – **5.** Il est deux heures. – **6.** Il est deux heures deux.

À vous ! **1.** Oh oui ! Du café, j'en veux ! – **2.** Oh oui ! Du thé, j'en veux ! – **3.** Oh oui ! Du lait, j'en veux ! – **4.** Oh oui ! Du poulet, j'en veux ! – **5.** Oh oui ! Du sel, j'en veux ! – **6.** Oh oui ! Des pêches, j'en veux !

29 D<u>eu</u>x b<u>eau</u>x b<u>o</u>ls à fl<u>eu</u>rs.

Exercices p. 66-67

1

	Exemple	1	2	3	4	5
=		✗		✗		
≠	✗		✗		✗	✗

Exemple : à seau / à ceux
1. pour deux / pour deux – **2.** des œufs / des os – **3.** c'est faux / c'est faux – **4.** des bœufs / des baux – **5.** c'est tôt / c'est eux

2

	Exemple	1	2	3	4	5
/Œ/ deux	✗	✗		✗	✗	
/o/ dos			✗			✗

Exemple : c'est le seul
1. pour l'heure – **2.** c'est le sol – **3.** ton cœur – **4.** les œufs – **5.** c'est un faux

5 **1.** Deux ? C'est trop ! – **2.** Vingt-deux ? C'est trop ! – **3.** Trente-deux ? C'est trop ! – **4.** Quarante-deux ? C'est trop !

À vous ! **1.** Oui, nous sommes chauffeurs ! – **2.** Oui, nous sommes professeurs ! – **3.** Oui, nous sommes chômeurs !

30 Il pleut toujours.

Exercices p. 68-69

1

	Exemple	1	2	3	4	5
=				✗		✗
≠	✗	✗	✗		✗	

Exemple : les cous / les queues
1. les cours / les cœurs – **2.** un peu / un pou – **3.** c'est d'eux / c'est d'eux – **4.** c'est l'heure / c'est lourd – **5.** les sous / les sous

2

	Exemple	1	2	3	4	5
/Œ/ deux	✗			✗	✗	
/u/ douze		✗	✗			✗

Exemple : un peu
1. c'est doux – **2.** parcours – **3.** son cœur – **4.** les deux – **5.** un pou

6 **1.** Deux minutes ou douze ? – **2.** Deux secondes ou douze ? – **3.** Deux heures ou douze ? – **4.** Deux mois ou douze ? – **5.** Deux ans ou douze ?

À vous ! **1.** Nous ? Il veut ... nous rencontrer ? – **2.** Nous ? Il veut ... nous parler ? – **3.** Nous ? Il veut ... nous consulter ? – **4.** Nous ? Il veut ... nous féliciter ?

31 La tante Léa.

Exercices p. 70-71

1

	Exemple	1	2	3	4	5
=				✗	✗	
≠	✗	✗	✗			✗

Exemple : les dents / les dames
1. les rats / les rangs – **2.** les grands / les grammes – **3.** le banc / le banc – **4.** le la / le la – **5.** c'est gras / c'est grand

2

	Exemple	1	2	3	4	5
/A / sac		✗				✗
/ɑ̃/ cent	✗		✗	✗	✗	

Exemple : le paon
1. le tas – **2.** l'orange – **3.** il est lent – **4.** c'est le plan – **5.** l'orage

À vous ! **1.** Douze ans, Suzanne ? – **2.** Seize ans, Sylviane ? – **3.** Trente ans, Éliane ? – **4.** Cent ans, Marianne ?

32 Ce manteau est long…

Exercices p. 72-73

1

	Exemple	1	2	3	4	5
=					✗	✗
≠	✗	✗	✗	✗		

Exemple : l'amont / l'amant
1. du sang / du son – **2.** le faon / le fond – **3.** elles montent / elles mentent – **4.** quel ton / quel ton – **5.** il pend / il pend

2

	Exemple	1	2	3	4	5
/ɑ̃/ cent	✗		✗	✗		✗
/ɔ̃/ onze		✗			✗	

Exemple : le sang
1. le front – **2.** je range – **3.** quel temps – **4.** il est blond – **5.** il fend

À vous ! **1.** Ton blouson ? Trop grand ! – **2.** Ton pantalon ? Trop grand ! – **3.** Ton caleçon ? Trop grand !

33 Les grands magasins.

Exercices p. 74-75

1

	Exemple	1	2	3	4	5
=					✗	✗
≠	✗	✗	✗	✗		

Exemple : le thym / le temps
1. sapin / ça pend – **2.** le sang / le saint – **3.** le franc / le frein – **4.** le temps / le temps – **5.** elle craint / elle craint

2

	Exemple	1	2	3	4	5
/ɑ̃/ cent	✗		✗			✗
/ɛ̃/ quinze		✗		✗	✗	

Exemple : le cran
1. la main – **2.** quel temps – **3.** il peint – **4.** le grain – **5.** fais le plan

À vous ! **1.** Julien ? Il est très grand ! ! – **2.** Alain ? Il est très grand ! – **3.** Germain ? Il est très grand ! – **4.** Fabien ? Il est très grand !

34 Quelle grosse mouche !

Exercices p. 76-77

	Exemple	1	2	3	4	5
=					✗	
≠	✗	✗	✗	✗		✗

Exemple : le Doubs / le dos
1. c'est fou / c'est faux – **2.** les peaux / l'époux – **3.** les autres / les outres – **4.** c'est vous / c'est vous – **5.** c'est tôt / c'est tout

2

	Exemple	1	2	3	4	5
/o/ dos		✗		✗	✗	
/u/ douze	✗		✗			✗

Exemple : les sous
1. leur peau – **2.** c'est tout – **3.** les autres – **4.** un seau – **5.** il est fou !

6 **1.** Où ? Au bureau ? – **2.** Où ? Au studio ? – **3.** Où ? Au métro ? – **4.** Où ? Au château ?

À vous ! **1.** Il faut nous dépêcher ! – **2.** Il faut nous préparer ! – **3.** Il faut nous installer ! – **4.** Il faut nous arrêter ! – **5.** Il faut nous organiser !

35 Nous voilà, oui !

Exercices p. 78-79

	Exemple	1	2	3	4	5
=	✗	✗				✗
≠			✗	✗	✗	

Exemple : et moi ? / et moi ?
1. c'est mou / c'est mou – **2.** les loups / les lois – **3.** dessous / de soie – **4.** c'est toi / c'est tout – **5.** les lois / les lois

2

	1 syllabe	2 syllabes	3 syllabes	4 syllabes
Exemple			✗	
1		✗		
2	✗			
3				✗
4		✗		
5	✗			

Exemple : c'est pour toi
1. c'est Louis – **2.** moi – **3.** il est enfoui – **4.** une mouette – **5.** trois

À vous ! **1.** Oui, je l'ai fait pour toi. – **2.** Oui, je l'ai dit pour toi. – **3.** Oui, je l'ai lu pour toi. – **4.** Oui, je l'ai pris pour toi.

36 Le boulanger et la boulangère.

Exercices p. 80-81

1

	Exemple	1	2	3	4	5
Présent				✗	✗	
Infinitif	✗	✗	✗			✗

Exemple : finir
1. dire – **2.** faire – **3.** voit – **4.** lit – **5.** choisir

2

Exemple	*premier (masculin)*	*première (féminin)*
1	poissonnier	poissonnière
2	charcutier	charcutière
3	boulanger	boulangère
4	pâtissier	pâtissière
5	teinturier	teinturière

À vous ! **1.** Et lui, il veut devenir boulanger ? – **2.** Et lui, il veut devenir pâtissier ? – **3.** Et lui, il veut devenir boucher ? – **4.** Et lui, il veut devenir poissonnier ? – **5.** Et lui, il veut devenir charcutier ?

37 L'autocar va partir.

Exercices p. 82-83

1

	Exemple	1	2	3	4	5
=					✗	✗
≠	✗	✗	✗	✗		

Exemple : la paix / la paire
1. le tout / le tour – **2.** regarde-le / regarde l'heure – **3.** quelle sorte / quelle sotte – **4.** il paie / il paie – **5.** la mer / la mer

2

	Exemple	1	2	3	4	5
On entend /R/				✗	✗	✗
On n'entend pas /R/	✗	✗	✗			

Exemple : quelle patte
1. elle écoute – **2.** le bois – **3.** une foire – **4.** elle est courte – **5.** qu'elle sorte

À vous ! **1.** On sort demain soir. – **2.** On part demain soir. – **3.** Ça ferme demain soir.

38 Le bord du bol est cassé.

Exercices p. 84-85

1

	Exemple	1	2	3	4	5
=				✗	✗	
≠	✗	✗	✗			✗

Exemple : les bals / les barres
1. je lis / je ris – **2.** la gale / la gare – **3.** elle est seule / elle est seule – **4.** il court / il court – **5.** le bord / le bol

2

	Exemple	1	2	3	4	5
/R/ terre			✗	✗	✗	
/l/ ciel	✗	✗				✗

Exemple : un bol
1. un lit – **2.** au bord – **3.** des corps – **4.** au bar – **5.** ça coule

5 **1.** Il est parti pour le voir. – **2.** Il est parti pour le faire. – **3.** Il est parti pour le finir. – **4.** Il est parti pour le choisir.

À vous ! **1.** Il habite rue de la Gare. – **2.** Il habite rue de la Mer. – **3.** Il habite rue du Port. – **4.** Il habite rue du Marché.

TROISIÈME PARTIE

39 Un jeu ? – Pas de̸ jeu ! Une chanson ? Pas de̸ chanson !

Exercices p. 88-89

1

/ʒ/ /dʒ/	Exemple	1	2	3	4	5
=			✗		✗	
≠	✗	✗		✗		✗

Exemple : Elle vient jouer ! / Elle vient de̸ jouer !
1. Il vient de̸ jurer ! / Il vient jurer ! – **2.** Déjà ? / Déjà ? – **3.** Elle n'a pas de̸ jouet ! / Elle n'a pas joué ! – **4.** Dommage ! / Dommage ! – **5.** Pas Judith ! / Pas de̸ Judith !

2

/t/ /tʃ/	Exemple	1	2	3	4	5
=		✗			✗	
≠	✗		✗	✗		✗

Exemple : Il sort chez elle. / Ils sorte̸n̸t̸ chez elle.
1. Il part chez elle. / Il part chez elle. – **2.** Elle va te/ chercher. / Elle va chercher. – **3.** Tu vas changer ? / Tu vas te/ changer ? – **4.** C'est cher ? / C'est cher ? – **5.** Laisse-la choisir / Laisse-la te/ choisir.

À vous ! **1.** Du jus d'orange ? Oh non, jamais de̸ jus d'orange ! – **2.** Du jambon ? Oh non, jamais de/ jambon ! – **3.** Du gigot d'agneau ? Oh non, jamais de/ gigot d'agneau ! – **4.** Du champagne ? Oh non, jamais de/ champagne ! – **5.** Du chocolat ?
Oh non, jamais de/ chocolat !

40 Ici, descendez !

Exercices p. 90-91

1

	Exemple	1	2	3	4	5
/i/ il	✗	✗		✗		✗
/E/ elle			✗		✗	

Exemple : Il a fini
1. Il a chaud – **2.** Elle a sommeil – **3.** Il a froid – **4.** Elle a faim – **5.** Il a mal aux pieds

2

	Exemple	1	2	3	4	5
/i/ dix	✗	✗		✗		✗
/E/ des			✗		✗	

Exemple : Il y a dix minutes
1. Il y a dix heures – **2.** Il y a des mois – **3.** Il y a dix jours – **4.** Il y a des années – **5.** Il y a dix semaines

À vous ! **1.** J'y ai réfléchi aussi. – **2.** J'y ai pensé aussi. – **3.** J'y ai atterri aussi. – **4.** J'y ai déjeuné aussi.

41 Le jardin et la maison sont très beaux.

Exercices p. 92-93

1

	Exemple	1	2	3	4	5
=			✗			
≠	✗	✗		✗	✗	✗

Exemple : Il la change / Il le change
1. Il la voit / Il le voit – **2.** Il le fait / Il le fait – **3.** Il la prend / Il le prend – **4.** Il la lit / Il le lit – **5.** Il le pose / Il la pose

2

Exemple	*Chez le libraire*	*Chez la libraire*
1	Chez le dentiste	Chez la dentiste
2	Chez le géographe	Chez la géographe
3	Chez le fleuriste	Chez la fleuriste
4	Chez le psychologue	Chez la psychologue
5	Chez le secrétaire	Chez la secrétaire

6 **1.** Répare-le ! – **2.** Répare-la ! – **3.** Répare-la ! – **4.** Répare-le ! – **5.** Répare-le !

À vous ! **1.** Je ne le connais pas. – **2.** Je ne le connais pas. – **3.** Je ne la connais pas. – **4.** Je ne la connais pas. – **5.** Je ne le connais pas.

42 Je veux du sucre.

Exercices p. 94-95

1

	Exemple	1	2	3	4	5
=		✗			✗	
≠	✗		✗	✗		✗

Exemple : du jus-deux jus
1. du café / du café – **2.** deux thés / du thé – **3.** du chocolat / deux chocolats – **4.** deux sucres / deux sucres – **5.** du coca / deux cocas

2

	Exemple	1	2	3	4	5
/Œ/ deux		✗		✗		
/y/ lune	✗		✗		✗	✗

Exemple : il a vu
1. il veut – **2.** il a pu – **3.** elle peut – **4.** elle a voulu – **5.** elle a bu

À vous ! **1.** S'il te plaît, une aile de poulet. – **2.** S'il te plaît, une assiette de fromage. – **3.** S'il te plaît, une part de gâteau. – **4.** S'il te plaît, une coupe de champagne. – **5.** S'il te plaît, une tasse de café.

43 C'est long d'attendre !

Exercices p. 96-97

1

	Exemple	1	2	3	4	5
=			✗	✗		
≠	✗	✗			✗	✗

Exemple : Ils ont ri / Ils en rient
1. Ils font tout / Il fend tout – **2.** Ils sont bons / Ils sont bons – **3.** Ils mentent bien / Ils mentent bien – **4.** Ils vont bien / il vend bien – **5.** Enfonce ! / On fonce

2

	Exemple	1	2	3	4	5
/õ/ onze		✗		✗		
/ɑ̃/ cent	✗		✗		✗	✗

Exemple : C'est en verre
1. C'est ton bois – **2.** C'est en argent – **3.** C'est ton or – **4.** C'est en diamant – **5.** C'est en plastique

6 **1.** Ils vont souvent au théâtre. – **2.** Ils vont souvent au cinéma. – **3.** Ils vont souvent au musée. – **4.** Ils vont souvent au restaurant.

À vous ! **1.** On en colle cent. – **2.** On en met cent. – **3.** On en prépare cent. – **4.** On en poste cent.

44 Ses z enfants viennent chaque jeudi.

Exercices p. 98-99

1

	Exemple	1	2	3	4	5
=		✗			✗	
≠	✗		✗	✗		✗

Exemple : Vous êtes actifs / Vous êtes actives
1. Vous êtes passifs / Vous êtes passifs – **2.** Vous êtes productifs / Vous êtes productives – **3.** Vous êtes subjectifs / Vous êtes subjectives – **4.** Vous êtes objectives / Vous êtes objectives – **5.** Vous êtes inventifs / Vous êtes inventives

2

Exemple	*Ils s'arrêtent*	*Ils arrêtent*
1	Ils s'amusent	Ils amusent
2	Ils s'ignorent	Ils ignorent
3	Ils s'observent	Ils observent
4	Ils s'interrogent	Ils interrogent
5	Ils s'expliquent	Ils expliquent

À vous ! **1.** Je cherche. – **2.** Je chante. – **3.** Je choisis. – **4.** Je change.

45 Le train du quai à gauche part bientôt.

Exercices p. 100-101

1

Exemple	J'écris à tes amis	J'écris à des amis
1	J'écris à tes enfants	J'écris à des enfants
2	J'écris à tes copains	J'écris à des copains
3	J'écris à tes camarades	J'écris à tes camarades
4	J'écris à tes collègues	J'écris à des collègues
5	J'écris à tes parents	J'écris à des parents

2

	Exemple	1	2	3	4	5
/p/ pont				✗	✗	✗
/b/ bus	✗	✗	✗			

Exemple : Il y a une bière
1. C'est un grand bois – **2.** Il a bu – **3.** Encore un pas – **4.** Quel vieux puits ! – **5.** Tu veux des poissons ?

À vous ! **1.** Je t'ai dit trois timbres. – **2.** Je t'ai dit trois boîtes. – **3.** Je t'ai dit trois paquets. – **4.** Je t'ai dit trois cartes postales.

46 Je cherche Suzanne et Joseph !

Exercices p. 102-103

1

/ʒ/ /z/	Exemple	1	2	3	4	5
=					✗	
≠	✗	✗	✗	✗		✗

Exemple : Les oeufs / Les jeux
1. La jaune ! / La zone ! – **2.** Legère / Les airs – **3.** Les ans / Les gens – **4.** C'est rose / C'est rose – **5.** La page / La Paz

2

/ʃ/ /s/	Exemple	1	2	3	4	5
=		✗				
≠	✗		✗	✗	✗	✗

Exemple : Quel choix ! / Quelle soie !
1. Ma chère ! / Ma chère ! – **2.** Mes sous ! / Mes choux ! – **3.** Ils sentent / Ils chantent. – **4.** La Seine / La chaîne. – **5.** Ma chérie ! / Ma série !

À vous ! **1.** Oui, je passe. Chez Sébastien ! – **2.** Oui, je sors. Chez Sébastien ! – **3.** Oui, je sonne. Chez Sébastien ! – **4.** Oui, je mange. Chez Sébastien ! – **5.** Oui, je danse. Chez Sébastien ! – **6.** Oui, je me repose. Chez Sébastien !

47 Je suis grand, j'ai eu cinq ans !

Exercices p. 104-105

1

Exemple	*Je rougis*	*J'ai rougi*
1	Je construis	J'ai construit
2	Je pâlis	J'ai pâli
3	Je réfléchis	J'ai réfléchi
4	Je choisis	J'ai choisi
5	Je guéris	J'ai guéri
6	Je finis	J'ai fini
7	Je conduis	J'ai conduit
8	Je réussis	J'ai réussi
9	Je ris	J'ai ri
10	Je grandis	J'ai grandi

4 **1.** Moi, je grandis encore. – **2.** Moi, je grossis encore. – **3.** Moi, je maigris encore. – **4.** moi, je mincis encore.

À vous ! **1.** Il se sent toujours seul. – **2.** Il se sent toujours fatigué. – **3.** Il se sent toujours malade. – **4.** Il se sent toujours bien.

48 En août, où vas-tu ?

Exercices p. 106-107

1

Exemple	*Dis « tu » !*	*Dis tout !*
1	Il est sûr	Il est sourd
2	La rue	La roue
3	C'est vu	C'est vous
4	Tu as vu	Tu avoues
5	Tu changes	Tout change
6	Tu parles	Tout parle
7	Tu t'es brûlé	Tout est brûlé
8	Tu vas bien	Tout va bien
9	Tu dis que c'est vrai	Tout dit que c'est vrai
10	Tu t'es préparé	Tout est préparé

À vous ! **1.** Ils sont tous venus ! – **2.** Ils l'ont tous vu ! – **3.** Ils l'ont tous voulu ! – **4.** ils l'ont tous bu !

49 Le professeur se repose un peu.

Exercices p. 108-109

1

Exemple	*Prends-le*	*Prends l'eau*
1	C'est l'heure	C'est l'or
2	Une seule	Une sole
3	Mon cœur	Mon corps
4	Un petit peu	Un petit pot
5	C'est un deux	C'est un dos
6	Il ne meurt pas	Il ne mord pas
7	Ils veulent bien	Ils volent bien
8	Il ne veut rien	Il ne vaut rien
9	Un seul marron	Un sol marron
10	Un peu d'eau	Un pot d'eau

À vous ! **1.** Des œufs ? D'accord ! – **2.** Des fleurs ? D'accord ! – **3.** Du beurre ? D'accord ! – **4.** Du bœuf ? D'accord !

50 Vous êtes seul ?

Exercices p. 110-111

1

	Exemple	1	2	3	4	5
=	✗	✗	✗			
≠				✗	✗	✗

Exemple : Tu as deux oncles – Tu as douze oncles
1. C'est le deuxième / C'est le deuxième – **2.** Où est le douzième ? / Où est le douzième ? – **3.** Prends douze œufs / Prends deux œufs – **4.** C'est au douzième / C'est au deuxième – **5.** Viens dans deux heures / Viens dans douze heures

2

	Exemple	1	2	3	4	5
/u/	✗		✗	✗		
/Œ/		✗			✗	✗

Exemple : Il prend deux avions
1. Elle a deux ans – **2.** Il est dans le douzième – **3.** C'est la douzième année – **4.** Mets deux assiettes – **5.** Elle est la deuxième

À vous ! **1.** Je ne vous trouve pas curieux. – **2.** Je ne vous trouve pas sérieux. – **3.** Je ne vous trouve pas courageux. – **4.** Je ne vous trouve pas généreux.

51 Un musicien demande le silence.

Exercices p. 112-113

1

Exemple	*<u>Un été</u>*	*En été*
1	Un hiver	<u>En hiver</u>
2	<u>Un car</u>	En car
3	<u>Un avion</u>	En avion
4	Un bus	<u>En bus</u>
5	<u>Cinq (5) minutes</u>	Cent (100) minutes
6	<u>Cinq (5) litres</u>	Cent (100) litres
7	Cinq (5) mètres	<u>Cent (100) mètres</u>
8	<u>Cinq (5) kilos</u>	Cent (100) kilos
9	Cent cinq (105)	<u>Cinq cents (500).</u>
10	Un train	<u>En train</u>

5 **1.** Tu rentres, enfin ! – **2.** Tu commences, enfin ! – **3.** Tu chantes, enfin ! – **4.** Tu danses, enfin ! – **5.** Tu penses, enfin !

À vous ! **1.** C'est un médecin/ important. – **2.** C'est un musicien/ important – **3.** C'est un comédien important – **4.** C'est un gardien important

52 Faites-vous couper la barbe !

Exercices p. 114-115

1

	Exemple	1	2	3	4	5
=			✗	✗		
≠	✗	✗			✗	✗

Exemple : c'est prêt / c'est frais
1. Il est au fort / Il est au port – **2.** Vous êtes frais ! / Vous êtes frais ! – **3.** Quelle belle poire ! / Quelle belle poire ! – **4.** Il prend du poids / Il prend du foie – **5.** C'est frit / C'est pris

2

	Exemple	1	2	3	4	5
/b/ bus	✗	✗	✗			✗
/v/ verre				✗	✗	

Exemple : C'est une bague
1. Elle le boit – **2.** Elle sent bon – **3.** Quelle vague ! – **4.** C'est ce qu'il voit – **5.** Tu la balaies

À vous ! **1.** Pousse bien la fenêtre ! – **2.** Vide bien la poubelle ! – **3.** Ferme bien la porte ! – **4.** Branche bien la vidéo !

53 Camille ! Oui, toi ! Viens tout de suite !

Exercices p. 116-117

1

	2 syllabes	3 syllabes	4 syllabes
Exemple : *Ma passion*		✗	
1. C'est Louise !	✗		
2. Si on partait ?			✗
3. Où il sort ?		✗	
4. Oui, vas-t'en !		✗	
5. Huit jours.	✗		
6. Tu y penses ?		✗	
7. Manu y va.			✗
8. Minuit vingt.		✗	

À vous ! **1.** Il vous conseille… Il va bientôt vous conseiller ! – **2.** Il vous paye… Il va bientôt vous payer ! – **3.** Il essaye… Il va bientôt essayer ! – **4.** Il travaille…Il va bientôt travailler ! – **5.** Il se débrouille… Il va bientôt se débrouiller ! – **6.** Il se réveille… Il va bientôt se réveiller !

54 Les voisines prennent le train.

Exercices p. 118-119

1

Exemple	*Il y a des voisins*	*Il y a des voisines*
1	Il y a des Parisiens	Il y a des Parisiens
2	Il y a des paysans	Il y a des paysannes
3	Il y a des champions	Il y a des championnes
4	Il y a des pharmaciens	Il y a des pharmaciennes
5	Il y a des lycéens	Il y a des lycéennes

2

Exemple	*Il vient*	*Ils viennent*
1	Il l'apprend	Ils l'apprennent
2	Il s'en souvient	Ils s'en souviennent
3	Il peint	Ils peignent
4	Il revient	Ils reviennent
5	Il comprend	Ils comprennent

5 **1.** Elle est roumaine. – **2.** Elle est mexicaine. – **3.** Elle est vietnamienne. – **4.** Elle est canadienne.

À vous ! **1.** Lui, il revient du Danemark. – **2.** Lui, il prend des photos. – **3.** Lui, il peint un tableau. – **4.** Lui, il se souvient des vacances.

55 Pascale, tu pars ? À Lausanne ?

Exercices p. 120-121

1

1. Oh ! Paul, alors... tu sonnes ? — 3 voyelles identiques
2. Mais si, ils dînent à *L'Empire* ! — 3 voyelles identiques
3. Euh...il déjeune souvent seul à dix-neuf heures. — 4 voyelles identiques
4. Mais, Anne, c'est normal aussi, il est tard ! — 2 voyelles identiques

À vous ! **1.** Il est chanteur ? Amateur ou professionnel ? – **2.** Il est danseur ? Amateur ou professionnel ? – **3.** Il est nageur ? Amateur ou professionnel ? – **4.** Il est coureur ? Amateur ou professionnel ? – **5.** Il est joueur ? Amateur ou professionnel ?

56 Le canal de Panama.

Exercices p. 122-123

1

1. Philippe, tu vas à Lille ? J'**y** suis demain. !	3 voyelles identiques
2. Un billet pour Mars**e**ille, s'il vous pl**aî**t. M**e**rci !	3 voyelles identiques
3. Où ? P**ou**r T**ou**l**ou**se ? Juste un ret**ou**r ?	4 voyelles identiques
4. À Périgueux ? J**eu**di avec Mathi**eu**, tu ne veux pas ?	3 voyelles identiques
5. Bientôt à l'**O**péra de P**au**, on pr**o**p**o**se « F**au**st ».	5 voyelles identiques

À vous ! **1.** La « rue du Four » ? Pas du tout ! – **2.** La tarte du jour ? Pas du tout ! – **3.** La date du cours ? Pas du tout ! – **4.** La place du four ? Pas du tout !

Activités communicatives

Page 128

La vie de tous les jours

2

2 syllabes	3 syllabes	4 syllabes
Merci ! Okay ! De rien ! D'accord ! Salut ! Ça va ?	Incroyable ! Tu es sûr ? À demain ! S'il vous plaît ! Tout à fait ! Enchanté !	À tout à l'heure ! Merci beaucoup ! Absolument ! Tu es d'accord ? Je vous en prie ! C'est très gentil !

Les cadeaux de Noël

2

	Pour qui ?	Quoi ?
2 syllabes	Pour toi,... Pour Fritz,...	... un jeu. ... un livre.
3 syllabes	Pour mon père,... Pour ma mère,...	... un CD. ... un roman.
4 syllabes	Pour mon grand frère,... Pour ma grand-mère,... Pour Paloma,...	... un dictionnaire. ... des chocolats. ... un bouquet d(e) fleurs.
5 syllabes	Pour ma tante Sophie,...	... une place de théâtre.
6 syllabes	Pour mon ami Michel,...	... une bouteille de champagne.

Page 130

Le sport

a. le tennis → Vous aimez le tennis ? – **b.** le karaté → Vous aimez le karaté ? – **c.** le basket → Vous aimez le basket ? – **d.** le ski → Vous aimez le ski ? – **e.** le curling → Vous aimez le curling ?

Page 131

Faites vos courses

1

a. À l'épicerie
A : Bonjour, je voudrais un kébab et un coca, s'il vous plaît.
B : Voilà un kébab et un coca.
A : Merci. Au revoir.
B : Au revoir, bonne journée.

b. À la boucherie
A : Bonjour, je voudrais du café, du sucre et du lait, s'il vous plaît.
B : Voilà du café, du sucre et du lait.
A : Merci. Au revoir.
B : Au revoir, bonne journée.

c. Chez le traiteur italien
A : Bonjour, je voudrais deux steaks, six saucisses et un rôti, s'il vous plaît.
B : Voilà deux steaks, six saucisses et un rôti.
A : Merci. Au revoir.
B : Au revoir, bonne journée.

d. Au Grec
A : Bonjour, je voudrais des raviolis, du parmesan et du tiramisu, s'il vous plaît.
B : Voilà des raviolis, du parmesan et du tiramisu.
A : Merci. Au revoir.
B : Au revoir, bonne journée.

e. À la crèmerie
A : Bonjour, je voudrais un roquefort, deux crottins, un camembert et trois rocamadours, s'il vous plaît.
B : Voilà un roquefort, deux crottins, un camembert et trois rocamadours.
A : Merci. Au revoir.
B : Au revoir, bonne journée.

Page 132

La météo

2

	Quand ?	Où ?	Météo
2 syllabes	Ce soir… Demain… Mardi…	… à Lille… … à Nice… … à Rennes…	… beau temps ! … du vent ! … du froid !

3 syllabes	Ce matin... Demain soir... Mercredi...	... à Marseille... ... à Bordeaux... ... à Strasbourg...	... du soleil ! ... des nuages ! ... de la neige !
4 syllabes	Demain matin... Pour le week-end...	... à Perpignan... ... en Normandie...	... beaucoup de pluie ! ... un ciel tout bleu !
5 syllabes	Cet après midi...	... à Clermont Ferrand...	... des orages violents !

Jeu des prénoms français

a. Carolina → Caroline – **b.** Domenico → Dominique – **c.** Estella → Estelle – **d.** Federico → Frédéric – **e.** Maria → Marie – **f.** Eva → Eve – **g.** Alfredo → Alfred – **h.** Maria → Marie

Hommes ou femmes ?

1

	Hommes	*Femmes*
Exemple :	Nous sommes français	Nous sommes françaises
a.	Tu es japonaise	Tu es japonaise
b.	Tu es marocain	Tu es marocaine
c.	Vous êtes européen	Vous êtes européenne
d.	Tu es italien	Tu es italienne
e.	Nous sommes lettons	Nous sommes lettones
f.	Vous êtes flamands	Vous êtes flamandes

Page 133

Le jeu des verbes

Étudier : *j'étudie* ; Chanter : *je chante* ; Danser : *je danse* ; Habiter : *j'habite* ; Être : *je suis* ; Avoir : *j'ai* ; Aimer : *j'aime* ; Téléphoner : *je téléphone* ; Appeler : *j'appelle* ; Écouter : *j'écoute* ; Parler : *je parle* ; Voyager : *je voyage* ; Partir : *je pars* ; Aller : *je vais.*

Je t'entends !

a. A : Tu m~~e~~ comprends? B : J~~e~~ te comprends.
b. A : Tu m~~e~~ veux? B : J~~e~~ te veux.
c. A : Tu m~~e~~ regardes? B : J~~e~~ te regarde.
d. A : Tu m~~e~~ téléphones? B : J~~e~~ te téléphone.
e. A : Tu m'écris? B : J~~e~~ t'écris!

Page 134

Quel âge ?

1

[z]	[t]	[v]	[n]	[tr]	[k]
22 ans	Ex : 37 ans	29 ans	41 ans	4 ans	55 ans
10 ans	18 ans		101 ans		
36 ans	28 ans				
43 ans	60 ans				

Une petite ville

1

a. A : **Tu** habites au sud de Paris ?
b. B : Oui, dans **une** petite ville.
c. B : C'est **une** petite ville **qui** est très jolie.
d. B : Il y a **une** ligne d'auto**bus** dans ma ville.
e. B : Il y a aussi un jardin **pu**blic et **une** bibliothèque.

Une tour

	1	2	3	4	5	6
1re syllabe				✗		
2e syllabe	✗	✗	✗		✗	✗

1. couture – **2.** voulu – **3.** couru – **4.** surtout – **5.** fourrure – **6.** pourvu

Page 135

Entre filles

1

a. A : J'ai vu **une** jupe dans **une** vitrine…
b. B : De quelle cou**leur** ?
c. A : Bleu… D'un **bleu** merveil**leux**.
d. B : Super !
e. A : Et aussi des chaus**sures**…
f. B : Dans quelle rue tu les as-tu vues ?
g. A : Je ne me rappelle plus !

Mon numéro de téléphone

Mon numéro de téléphone est zéro huit, quatre-vingt huit, zéro huit, dix-huit, dix-huit.

Vive les vacances !

1

a. Je prépare **une** semaine de vacances avec **un** ami. – **b.** Je cherche **une** carte et **un** guide touristique. – **c.** Et **une** histoire d'amour pour **un** voyage avec **une** nuit de train.

Verbe au singulier ou verbe au pluriel ?

	Exemple	1	2	3	4	5
Singulier				✗		✗
Pluriel	✗	✗	✗		✗	

1. ils le construisent. – **2.** ils le disent. – **3.** il le lit. – **4.** ils vous plaisent. – **5.** il se tait.

Page 136

À la boulangerie

1

a. A : Bonjour, je voudrais des viennoiseries.
b. B : Il ne me reste que des croi**ss**ants et des pains au raisin !
c. A : Dans **c**e cas, je prends **c**inq croi**ss**ants.
d. B : **Six** ‿z euros, **s**'il vous plaît.
e. B : Voi**c**i vos croi**ss**ants.
f. A : Mer**c**i.

Un beau projet

a. Juliette et José chan**g**ent de l'ar**g**ent. – **b.** Ils ‿z ont un projet de voya**g**e. – **c.** Ils ‿z ont envie de visiter le **J**apon en **j**uillet.

C'est le plus beau !

a. A : Ce petit garçon est beau ? B : Oui, le plus beau des petits garçons.
b. A : Ce chien est gros ? B : Oui, le plus gros des chiens.
c. A : Ce chat est gentil ? B : Oui, le plus gentil des chats.
d. A : Cet oiseau est chanteur ? B : Oui, le plus chanteur des oiseaux.
e. A : Ce cheval est doux ? B : Oui, le plus doux des chevaux.

Page 137

Je suis perdu

1

a. A : Bonjour Monsieur.
Où est le château ?

b. B : Tout en haut, la deuxième rue à gauche.

c. A : On peut y aller à pied ?

d. B : Non, c'est un peu trop loin :

e. le château est à deux kilomètres.

f. A : Deux kilomètres, c'est pas beaucoup !

Pourquoi pleurez-vous ?

1

a. A : Vous pleurez ? Vous êtes malheureux ?
b. B : J'ai beaucoup de soucis...
c. A : Je ne veux pas être trop curieux ...
d. B : Ne vous inquiétez pas ! Ça va déjà beaucoup mieux !

Ma famille

1

a. A : Armande, c'est ta grand-mère ? B : Oui, ma grand-mère s'appelle Armande.
b. A : Armance, c'est ta tante ? B : Oui, ma tante s'appelle Armance.
c. A : Garance, c'est ta grand-tante ? B : Oui, ma grand-tante s'appelle Garance.

Page 138

De grandes vacances

1

a. Ils vont en vacances. – **b.** et ils sont très contents. – **c.** Ils ont l'intention de prendre l'avion. – **d.** Ils visiteront l'Irlande et l'Angleterre.

Compte bien, c'est difficile !

1

a. A : 5 + 15 = B : Cinq plus quinze égale = 20 vingt.
b. A :100 – 50 = B : Cent moins cinquante égale = 50 cinquante.
c. A : 20 x 5 = B : Vingt multiplié par cinq égale = 100 cent.
d. A : 25 : 5 = B : Vingt-cinq divisé par cinq égale = 5 cinq.

Le vélo de Ludo

1. a. Il y a un vélo **rouge** dans la **cour**. – **b.** C'est le vél**o** de Lud**o**. – **c.** Lud**o** va au **boulot tous** les jours – **d.** sur son **beau** vél**o rouge**.

Nous voilà !

a. Quel four ! – **b.** Quelle foire ! – **c.** Quel phare !

a. Beaucoup de poires. – **b.** Beaucoup de parts. – **c.** Beaucoup de poids.

Page 139

J'en suis sûr !

1

a. A : C'est bleu ou c'est vert ? B : Je suis sûr que c'est vert.
b. A : C'est foncé ou c'est clair ? B : Je suis sûr que c'est clair.
c. A : C'est blanc ou c'est noir ? B : Je suis sûr que c'est noir.
d. A : C'est faible ou c'est fort ? B : Je suis sûr que c'est fort.
e. A : C'est mou ou c'est dur ? B : Je suis sûr que c'est dur.

Page 140

Râleur !

a. La bibliothèque est fermée **les** mardis. – **b.** Comme **la** mairie ! – **c.** Ce sont des services publics, pourtant ! – **d.** Pourquoi ne sont-**elles** pas ouvertes plus tard – **e.** **le** soir **les** autres jours ?

Des artistes

a. **Il** imagine **des** histoires. – **b.** **et il** écrit **des** livres. – **c.** Son ami**e** dessine **des** images. – **d.** **Ils** ont **des** projets de films. – **e.** **et** ils cherchent un financement.

Page 141

Masculin ou féminin

Exemple : Le violoniste.

	Exemple	1	2	3	4	5
Masculin	✗		✗	✗		
Féminin		✗			✗	✗

1. La trompettiste. – **2.** Le saxophoniste. – **3.** Le percussionniste. – **4.** La pianiste. – **5.** La guitariste.

C'est long d'attendre ...

1

a. cent (100) – **b.** cent onze (111) – **c.** mille cents (1 100) – **d.** cinq cent onze (511) – **e.** cent millions (100 000 000) – **f.** onze cents (1 100)

Vous êtes sportive ?

1

a. A : J'aime le tennis.... B : Vous êtes sportive ? Vous faites du tennis ?
b. A : J'aime le golf... B : Vous êtes sportive ? Vous faites du golf ?
c. A : J'aime le vélo... B : Vous êtes sportive ? Vous faites du vélo ?
d. A : J'aime le foot... B : Vous êtes sportive ? Vous faites du foot ?
e. A : J'aime la rando... B : Vous êtes sportive ? Vous faites de la rando ?
f. A : J'aime la voile... B : Vous êtes sportive ? Vous faites de la voile ?

Page 142

Préparons les pâtes !

1

a. Jetez les **p**âtes dans l'eau **b**ouillante. – **b.** **P**atientez quelques minutes, – **c.** égouttez **b**ien les **p**âtes dans une **p**assoire. – **d.** **P**résentez dans un **p**lat – **e.** avec du **b**eurre – **f.** et un **p**etit **p**eu de **p**armesan râ**p**é !

Une fête

a. Je prépare une fête. – **b.** J'ai beaucoup de choses à faire. – **c.** J'ai invité tous mes amis. – **d.** J'espère qu'il fera beau – **e.** et que tous seront présents.

Page 143

Vous êtes seul ?

1

	Exemple	1	2	3	4	5
La première syllabe			✗	✗	✗	
La deuxième syllabe	✗	✗				✗

1. coûteux – **2.** grenouille – **3.** pelouse – **4.** velours – **5.** pouilleux

2

	Exemple	1	2	3	4	5
La première syllabe		✗		✗		
La deuxième syllabe					✗	✗
Je n'entends pas /u/	✗		✗			

1. couture – **2.** bureau – **3.** coupure – **4.** retour – **5.** dessous

Du poisson frais

1

a. A : **V**oulez-**v**ous du **p**oisson ?

b. B : Est-il **v**raiment **f**rais **v**otre **p**oisson ?

c. A : É**v**idemment, il est **p**ar**f**aitement frais :

d. A : je **v**iens de le **p**êcher !

e. B : **P**arfait ! J'en **p**rends **v**olontiers.

f. B : Une li**v**re, s'il **v**ous **p**laît.

Page 144

Une compétition internationale

1. a. Une championne argentine a gagné la compétition. – **b.** Elle est bonne, elle est vraiment bonne ! – **c.** Il n'y a aucune autre championne sud-américaine dans la course. – **d.** Toutes les autres sont européennes ou australiennes.